D1500737

Collection dirigée par Lidia Breda

Du même auteur
aux Éditions Payot & Rivages

Qu'est-ce que
le contemporain ?

Collection dirigée par Lidia Breda

Le présent texte reprend la leçon inaugurale du cours de Philosophie théorétique donné en 2005-2006 à l'université IUAV de Venise.

Giorgio Agamben

Qu'est-ce que le contemporain ?

Traduit de l'italien
par Maxime Rovere

Rivages poche
Petite Bibliothèque

Retrouvez l'ensemble des parutions
des Éditions Payot & Rivages sur

payot-rivages.fr

Titre original : *Che cos'è il contemporaneo ?*
© 2008, Nottetempo srl
© 2008, Éditions Payot & Rivages
pour la traduction française
106, bd Saint-Germain – 75006 Paris

1. La question que je voudrais inscrire au seuil de ce séminaire est la suivante : « De qui et de quoi sommes-nous les contemporains ? Et, avant tout, qu'est-ce que cela signifie, être contemporains ? » Au cours du séminaire, nous aurons l'occasion de lire des textes dont les auteurs sont éloignés de nous de plusieurs siècles, et d'autres plus récents, voire très récents. Dans tous les cas, l'important sera de réussir à nous faire, d'une certaine manière,

contemporains de ces textes. Le « temps » de notre séminaire est la contemporanéité, ce qui suppose que l'on soit contemporain des textes et des auteurs qui y sont examinés. Autant sa valeur que ses résultats se mesureront à notre capacité à nous montrer à la hauteur de cette exigence.

Une première indication, provisoire, pour orienter notre recherche, nous est donnée par Nietzsche. Dans une note à ses cours au Collège de France, Roland Barthes la résume en ces termes : « Le contemporain est l'inactuel. » En 1874, Friedrich Nietzsche, jeune philologue qui avait jusqu'alors travaillé sur les textes grecs, devenu brusquement célèbre, deux ans auparavant, grâce à *La Naissance de la tragédie*, publie les *Unzeitgemässe Betrachtungen*, les « Considérations inactuelles », par lesquelles il veut régler ses comptes avec son époque et prendre position sur le présent. « Inactuelle, cette considération l'est en ceci », lit-on au début de la seconde « considération », « qu'elle cherche à comprendre comme un mal, un dommage et une carence quelque chose dont notre époque tire justement orgueil, à savoir sa culture historique, parce que je pense que nous sommes tous dévorés par la fièvre de l'histoire et que nous devrions au moins en rendre compte. » Nietzsche situe par là sa prétention à l'« actualité », sa « contemporanéité » vis-à-vis du présent, dans une certaine disconvenance, un certain déphasage. Celui qui appartient véritablement à son temps, le vrai contemporain, est celui qui ne coïncide pas parfaitement avec lui ni n'adhère à ses prétentions, et se définit, en ce sens, comme inactuel ; mais précisément pour cette raison, précisément par cet écart et cet anachronisme, il est plus apte que les autres à percevoir et à saisir son temps.

Cette non-coïncidence, cette dyschronie, ne signifient naturellement pas que le contemporain vit dans un autre temps, ni qu'il soit un nostalgique qui se reconnaît mieux dans l'Athènes de Périclès ou le Paris de Robespierre ou du marquis de Sade que dans la ville ou dans le temps où il lui a été donné de vivre. Un homme intelligent peut haïr son époque, mais il sait en tout cas qu'il lui appartient irrévocablement. Il sait qu'il ne peut pas lui échapper.

La contemporanéité est donc une singulière relation avec son propre temps, auquel on adhère tout en prenant ses distances ; elle est très précisément *la relation au temps qui adhère à lui par le déphasage et l'anachronisme.* Ceux qui coïncident trop pleinement avec l'époque, qui conviennent parfaitement avec elle sur tous les points, ne sont pas des contemporains parce que, pour ces raisons mêmes, ils n'arrivent pas à la voir. Ils ne peuvent pas fixer le regard qu'ils portent sur elle.

2. En 1923, Ossip Mandel-
stam écrit un poème intitulé « Le
siècle » (le mot russe *vek* signifie aussi « époque »). Celui-ci ne
contient pas une méditation sur le
siècle, mais sur la relation entre le
poète et son temps, autrement dit
sur la contemporanéité. Il ne s'agit
pas du « siècle », mais d'après les
mots qui ouvrent le premier vers,
de « mon siècle » (*vek moï*) :

*Mon siècle, mon fauve, qui pourra
Te regarder droit dans les yeux*

13

Et souder de son sang
Les vertèbres de deux siècles ?

Le poète, qui devait payer de sa vie sa contemporanéité, doit regarder fixement dans les yeux de son siècle-fauve, sceller de son sang l'échine brisée du temps. Les deux siècles, les deux époques ne sont pas seulement, comme le suggère Alain Badiou dans sa belle analyse du poème[1], les XIXᵉ et XXᵉ siècles, mais aussi et surtout le temps d'une vie singulière (souvenez-vous que le latin *saeculum* désigne, à l'origine, le temps de la vie) et le temps de l'histoire collective, qu'on peut appeler dans

1. Alain Badiou, *Le Siècle*, Seuil, 2005.

ce cas le XXe siècle, dont l'échine
– on l'apprendra dans la dernière
strophe du poème – est brisée.
Le poète, en tant que contemporain, est cette fracture, il est
celui qui empêche le temps de se
rassembler et, en même temps, le
sang qui doit souder la brisure.
Le parallèle entre le temps – et
les vertèbres – de la créature et
le temps – et les vertèbres – du
siècle constitue l'un des thèmes
centraux du poème :

Tant que vit la créature
Elle doit porter ses propres vertèbres,
Les ondoiements se jouent
De l'invisible colonne vertébrale.
Tel un tendre cartilage d'enfant,
Voilà comme est le siècle nouveau-né
*   de la terre.*

L'autre grand thème – et celui-ci, comme le précédent, est une image de la contemporanéité – est celui des vertèbres brisées du siècle et de leur soudure, qui est l'œuvre du singulier (et, dans ce cas, du poète) :

Pour libérer le siècle dans les chaînes
Pour donner un commencement au
monde nouveau
Il est besoin de joindre à la flûte
Les genoux noueux des jours.

Que cette tâche soit impossible à accomplir – ou, si l'on veut, contradictoire – c'est ce que prouve la strophe suivante, qui conclut le poème. Non seulement l'époque-fauve a les vertèbres brisées, mais le *vek*, le siècle à peine né, dans un geste impossible pour qui a l'échine rompue, veut se tourner vers l'arrière, contempler ses propres traces et, ce faisant, il montre son visage forcené :

Mais elle est brisée ton échine
Mon pauvre siècle abasourdi.
Avec un sourire insensé
Comme un fauve naguère souple
Tu te tournes vers l'arrière, débile et
*   cruel,*
À contempler tes propres traces.

3. Le poète – le contemporain – doit fixer le regard sur
son temps. Mais que voit-il, celui
qui voit son temps, le sourire fou
de son siècle ? Je voudrais maintenant proposer une seconde définition de la contemporanéité : le
contemporain est celui qui fixe
le regard sur son temps pour
en percevoir non les lumières,
mais l'obscurité. Tous les temps
sont obscurs pour ceux qui en
éprouvent la contemporanéité. Le
contemporain est donc celui qui

sait voir cette obscurité, qui est en mesure d'écrire en trempant la plume dans les ténèbres du présent. Mais que signifie « voir les ténèbres », « percevoir l'obscurité » ?

Une première réponse nous est suggérée par la neurophysiologie de la vision. Qu'advient-il lorsque nous nous trouvons dans un milieu privé de lumière, ou quand nous fermons les yeux ? Qu'est-ce que l'obscurité que nous voyons alors ? Les neurophysiologistes expliquent que l'absence de lumière active une série de cellules à la périphérie de la rétine appelées justement *off-cells*, lesquelles entrent en activité et produisent cette espèce particulière de vision que nous appelons l'obscurité. L'obscurité n'est donc pas un concept privatif, la simple absence de lumière, quelque chose comme une non-vision, mais le résultat de l'activité des *off-cells*, le produit de notre rétine. Cela signifie, pour rejoindre maintenant notre thèse sur l'obscurité de la contemporanéité, que percevoir cette obscurité n'est pas une forme d'inertie ou de passivité : cela suppose une activité et une capacité particulières, qui reviennent dans ce cas à neutraliser les lumières dont l'époque rayonne, pour en découvrir les ténèbres, l'obscurité singulière, laquelle n'est pas pour autant séparable de sa clarté.

Seul peut se dire contemporain celui qui ne se laisse pas aveugler par les lumières du siècle et parvient à saisir en elles la part de l'ombre, leur sombre intimité. Avec ceci, nous n'avons pas encore tout à fait répondu à notre question. Pourquoi le fait de réussir à percevoir les ténèbres qui émanent de l'époque devrait-il nous intéresser ? L'obscurité serait-elle autre chose qu'une expérience anonyme et par définition impénétrable, quelque chose qui n'est pas dirigé vers nous et qui, par là même, ne nous regarde pas ? Au contraire, le contemporain est celui qui perçoit l'obscurité de son temps comme une affaire qui le regarde et n'a de cesse de l'interpeller, quelque chose qui, plus que toute lumière, est directement et singulièrement tourné vers lui. Contemporain est celui qui reçoit en plein visage le faisceau de ténèbres qui provient de son temps.

4. Dans le ciel que nous contemplons la nuit, les étoiles qui resplendissent sont environnées d'épaisses ténèbres. Dès lors qu'il y a dans l'univers un nombre infini de galaxies et de corps lumineux, l'obscurité que nous voyons dans le ciel est quelque chose qui, selon les scientifiques, demande à être expliqué. C'est précisément de l'explication que donne l'astrophysique contemporaine sur cette obscurité que je voudrais maintenant vous

parler. Dans l'univers en expansion, les galaxies les plus lointaines s'éloignent de nous à une vitesse si grande que leur lumière ne peut nous parvenir. Ce que nous percevons comme l'obscurité du ciel, c'est cette lumière qui voyage vers nous à toute allure, mais qui malgré cela ne peut nous parvenir, parce que les galaxies dont elle provient s'éloignent à une vitesse supérieure à celle de la lumière.

Percevoir dans l'obscurité du présent cette lumière qui cherche à nous rejoindre et ne le peut pas, c'est cela, être contemporains. C'est bien pourquoi les contemporains sont rares. C'est également pourquoi être contemporains est, avant tout, une affaire de courage : parce que cela signifie être capables non seulement de fixer le regard sur l'obscurité de l'époque, mais aussi de percevoir dans cette obscurité une lumière qui, dirigée vers nous, s'éloigne infiniment. Ou encore : être ponctuels à un rendez-vous qu'on ne peut que manquer.

C'est pourquoi le présent que perçoit la contemporanéité a les vertèbres rompues. Notre temps, le présent, n'est en réalité pas seulement le plus lointain : en aucun cas il ne peut nous rejoindre. Son échine est brisée et nous nous tenons exactement au point de la fracture. C'est pourquoi nous lui sommes, malgré tout, contemporains. Comprenez bien que le rendez-vous dont il s'agit dans la contemporanéité ne se situe pas seulement dans le temps chronologique : il est, dans le temps chronologique, quelque chose qui le travaille de l'intérieur et le transforme. Et cette urgence, c'est l'inactualité, l'anachronisme qui permet de saisir notre temps sous la forme d'un « trop tôt » qui est aussi un « trop tard », d'un « déjà » qui est aussi un « pas encore ». Et de reconnaître en même temps dans les ténèbres du présent la lumière qui, sans jamais pouvoir nous rejoindre, est perpétuellement en voyage vers nous.

5. La mode est un bon exemple de cette expérience particulière du temps que nous appelons la contemporanéité. Ce qui définit la mode est qu'elle introduit dans le temps une discontinuité particulière, qui le divise selon son actualité ou son inactualité, selon l'être ou le ne-plus-être-à-la-mode (*à la mode* et non simplement *de mode*, qui s'emploie uniquement à propos des choses). Cette césure, si subtile soit-elle, est très perceptible, au sens où ceux qui doivent

la percevoir, la perçoivent en effet immanquablement, attestant justement par là qu'ils sont eux-mêmes à la mode. Mais si l'on cherche à l'objectiver et à la fixer dans le temps chronologique, on la découvre insaisissable. Par-dessus tout, le « maintenant » de la mode, l'instant où elle vient à être, n'est identifiable par aucun chronomètre. Ce « maintenant » est peut-être le moment où le styliste conçoit la touche, la *nuance*[2] qui définira la nouvelle tendance du vêtement ? Ou bien est-ce lorsqu'il le confie au dessinateur, puis à la couturière pour qu'elle confectionne le prototype ? S'agit-il, plutôt, du moment de

2. En français dans le texte.

l'essayage, quand le vêtement est mis par les seules personnes qui sont toujours et exclusivement à la mode, et qui pour cette raison même, ne le sont jamais vraiment : les *mannequins*[3] ? Dès lors, en dernier lieu, l'être à la mode de la tendance ou de la « manière » dépendra du fait que des personnes en chair et en os, différentes des mannequins – ces victimes sacrificielles d'un dieu sans visage – le reconnaissent comme tel et l'attribuent audit vêtement.

Le temps de la mode est donc, de manière constitutive, en avance sur lui-même, et pour cette raison même, toujours aussi en retard ;

3. En français dans le texte.

il a toujours la forme d'une insaisissable frontière entre le « pas
encore » et le « ne plus ». Il est
probable que, comme le suggèrent
les théologiens, cela vient du fait
que la mode, du moins dans notre
culture, est une signature théolo-
gique du vêtement, qui dérive des
circonstances dans lesquelles fut
confectionné le premier vêtement
d'Adam et d'Ève à la suite du
péché originel, en forme de pagne
tressé avec des feuilles de figuier.
(Par parenthèse, les vêtements que
nous portons dérivent non pas de
ce pagne végétal ; mais des *tunicae
pellicae*, des vêtements en peaux
d'animaux que Dieu, d'après la
Genèse, 3.21, fait porter à nos
ancêtres comme les symboles tan-
gibles du péché et de la mort, au

moment où il les chasse du para-
dis.) En tout cas, quelle qu'en soit
la raison, le « maintenant », le *kairos* de la mode est inexprimable :
la phrase « en cet instant, je suis à
la mode » est contradictoire, parce
que dans le moment où le sujet
la prononce, il est déjà démodé.
C'est pourquoi l'être à la mode,
tout comme la contemporanéité,
comporte un certain « jeu », un
certain déphasage, par lesquels
son actualité inclut à l'intérieur
d'elle-même une petite part de
son dehors, comme un parfum de
démodé. À Paris au XVIIIᵉ siècle, on
disait en ce sens d'une dame élé-
gante : « Elle est contemporaine
de tout le monde[4]. »

4. En français dans le texte.

Mais la temporalité de la mode a encore une autre caractéristique qui l'apparente à la contemporanéité. Dans le geste même par lequel son présent divise le temps selon un « ne plus » et un « pas encore », elle instaure avec ces « autres temps » – certainement avec le passé, et peut-être aussi avec le futur – une relation particulière. Elle peut donc « citer » et, de cette manière, réactualiser un moment quelconque du passé (les années 1920, les années 1970, mais aussi la mode impériale ou néoclassique). Elle peut donc mettre en relation ce qui est inexorablement divisé, rappeler, ré-évoquer et revitaliser ce qu'elle avait d'abord déclaré mort.

6. Cette relation particulière au passé a également un autre aspect. La contemporanéité s'inscrit, en fait, dans le présent en le signalant avant tout comme archaïque, et seul celui qui perçoit dans les choses les plus modernes et les plus récentes les indices ou la signature de l'archaïsme peut être un contemporain. Archaïque signifie proche de l'*arkè*, c'est-à-dire de l'origine. Mais l'origine n'est pas seulement située dans un passé chronologique : elle est

contemporaine du devenir historique et ne cesse pas d'agir à travers lui, tout comme l'embryon continue de vivre dans les tissus de l'organisme parvenu à maturité, et l'enfant dans la vie psychique de l'adulte. L'écart – et tout ensemble l'imminence – qui définit la contemporanéité trouve son fondement dans cette proximité avec l'origine, qui ne perce nulle part avec plus de force que dans le présent. Qui a vu pour la première fois, arrivant par la mer à l'aube, les gratte-ciel de New York, a subitement perçu ce faciès archaïque du présent, cette contiguïté avec la ruine que les images atemporelles du 11 septembre ont rendus évidents pour tous.

Les historiens de l'art et de la littérature savent qu'il y a entre l'archaïque et le moderne un rendez-vous secret, non seulement parce que les formes les plus archaïques semblent exercer sur le présent une fascination particulière, mais surtout parce que la clé du moderne est cachée dans l'immémorial et le préhistorique. C'est ainsi que le monde antique se retourne, à la fin, pour se retrouver, vers ses débuts ; l'avant-garde, qui s'est égarée dans le temps, recherche le primitif et l'archaïque. C'est en ce sens que l'on peut dire que la voie d'accès au présent a nécessairement la forme d'une archéologie. Celle-ci ne nous fait pas remonter à un passé éloigné, mais à ce que nous ne pouvons en aucun cas vivre dans le présent. Demeurant non vécu, il est sans cesse happé vers l'origine sans pouvoir jamais la rejoindre. Le présent n'est rien d'autre que la part de non-vécu dans tout vécu, et ce qui empêche l'accès au présent est précisément la masse de ce que, pour une raison ou pour une autre (son caractère traumatique, sa trop grande proximité), nous n'avons pas réussi à vivre en lui. L'attention à ce non-vécu est la vie du contemporain. Et être contemporains signifie, en ce sens, revenir à un présent où nous n'avons jamais été.

7. Ceux qui ont cherché à penser la contemporanéité ont pu le faire seulement à condition de la scinder en plusieurs temps, introduisant dans le temps une essentielle hétérogénéité. Qui peut dire : « mon temps » divise le temps, inscrit en lui une césure et une discontinuité ; et d'ailleurs, précisément par cette césure, par cette interpolation du présent dans l'homogénéité inerte du temps linéaire, le contemporain met en œuvre une relation

particulière entre les temps. Si, comme nous l'avons vu, c'est le contemporain qui a brisé les vertèbres de son temps (c'est-à-dire a perçu la faille ou le point de cassure), il fait de cette fracture le lieu d'un rendez-vous et d'une rencontre entre les temps et les générations. Rien de plus exemplaire, en ce sens, que le geste de Paul, au point où il éprouve et annonce à ses frères cette contemporanéité par excellence qu'est le temps messianique, l'être contemporain du messie, qu'il appelle justement le « temps du maintenant » (*ho nyn kairos*). Non seulement ce temps est chronologiquement indéterminé (la *parousie*, le retour du Christ qui signe la fin des temps, est proche et assurée, mais incalculable) mais il a la singulière capacité de mettre en relation avec lui tous les instants du passé, de faire de tout moment ou épisode du récit biblique une prophétie ou une préfiguration (*typos*, figure, est le terme que Paul préfère employer) du présent (c'est ainsi qu'Adam, par qui l'humanité a reçu la mort et le péché, est le « type » ou la figure du messie, qui porte aux hommes la rédemption et la vie).

Cela signifie que le contemporain n'est pas seulement celui qui, en percevant l'obscurité du présent, en cerne l'inaccessible lumière ; il est aussi celui qui, par la division et l'interpolation du temps, est en mesure de le trans-former et de le mettre en relation avec d'autres temps, de lire l'histoire d'une manière inédite, de la « citer » en fonction d'une nécessité qui ne doit absolument rien à son arbitraire, mais provient d'une exigence à laquelle il ne peut pas ne pas répondre. C'est comme si cette invisible lumière qu'est l'obscurité du présent projetait son ombre sur le passé tandis que celui-ci, frappé par ce faisceau d'ombre, acquérait la capacité de répondre aux ténèbres du moment. C'est quelque chose dans ce genre que devait avoir à l'esprit Michel Foucault, quand il écrivait que ses enquêtes historiques sur le passé n'étaient que l'ombre portée de son interrogation théorique du présent. De même Walter Benjamin, quand il écrivait que l'indice historique que recèlent les images du passé indique qu'elles ne pourront être lues qu'à un moment déterminé de leur histoire. C'est de notre aptitude à faire droit à cette exigence et à cette ombre, à être contemporains non seulement de notre siècle et du « maintenant », mais aussi de leurs figures dans les textes et dans les documents du passé, que dépendra la réussite ou l'échec de notre séminaire.

Rivages poche/Petite Bibliothèque
Collection dirigée par Lidia Breda

DERNIÈRES PARUTIONS

Mise en pages
PCA – 44400 Rezé

Imprimé par CPI (Barcelona)
en août 2017
Imprimé en Espagne